L'An 0

1492
Découverte de l'Amérique
par Christophe Colomb

1789
Révolution française

Empire romain

MOYEN-ÂGE

TEMPS MODERNES

ÉPOQUE CONTEMPORAINE

476
Chute de l'Empire
romain d'Occident

1654
Couronnement
de Louis XIV

1969
Neil Armstrong
marche sur la Lune

Aux aventuriers de tous poils,
qui n'ont pas peur de tourner la page.
OL

Le loup
qui voyageait dans le temps

Texte de Orianne Lallemand
Illustrations de Éléonore Thuillier

AUZOU

MIAMI
loup

Ce jour-là, Loup farfouillait dans son grenier.
Il y trouvait toujours des choses extraordinaires.
Comme ce vieux livre par exemple, avec sa couverture dorée.
Intrigué, Loup s'empara du livre et lut le résumé :

CHER LECTEUR, CECI N'EST PAS UN LIVRE ORDINAIRE.
C'EST UN LIVRE À VOYAGER DANS LE TEMPS.
SI VOUS L'OUVREZ, VOUS SEREZ PLONGÉ AU CŒUR DE L'HISTOIRE,
PAGE APRÈS PAGE...
BON VOYAGE !

« Ah ! si cela pouvait être vrai !
soupira Loup. Comme ce serait
amusant de voyager dans le temps ! »
Et il ouvrit le livre.
Aussitôt, il sentit un long frisson
courir du bout de son museau
au bas de son dos, et **pffiou !**
il disparut.

Loup ouvrit les yeux, tout étourdi.
Cela avait marché ! Il n'était plus chez lui
mais dans la forêt tropicale. Tout était vert,
il faisait chaud, un vrai paradis sur terre !

« Incroyable ! » s'exclama Loup.
Il grimpa sur un rocher pour observer le paysage et là...
AAHHH ! le rocher décolla.
« Au secours ! hurla Loup.
– Bienvenue chez les dinosaures !
fit une voix grave. Je vous fais visiter
si vous voulez ? »

Loup regarda sous lui, sidéré.
Il était assis sur la tête d'un diplodocus !

Loup profitait de la balade quand un redoutable rugissement perça le silence. À deux pas de lui se tenait le plus effrayant dinosaure de tous les temps : un tyrannosaure.
« Désolé étranger, fit le diplodocus en secouant la tête, c'est toi qu'il veut pour son dîner.

– Mais… il va me dévorer ! » cria Loup terrifié en attrapant son livre. Et tandis qu'il dégringolait vers les mâchoires du monstre, il tourna la page… et **pffiou !** il disparut.

Loup reprit ses esprits dans une grotte. Il était couvert de peaux de bête mais ah gla gla… qu'il faisait froid !
« Bienvenue chez les Crocs Magnons, le salua un vieux loup. Tu prendras bien un cuissot de dino ?

– Euh, non merci, fit Loup écœuré en regardant les autres dévorer la viande à moitié crue.
– Alors en route ! Nous partons chasser le mammouth. » Loup soupira. Il détestait chasser, et puis il aimait bien les mammouths. Pas question de participer à leur disparition ! Ah ça non ! Alors **pffiou !** Plus de Loup.

PLAN
x 10 000

Cette fois, Loup se trouvait sur le chantier de construction d'une immense pyramide. À ses pieds, des tentes de couleur avaient été dressées pour accueillir le pharaon d'Égypte, en visite.

« Prépare-toi, Toutenkhanine arrive », lui glissa à l'oreille une jolie danseuse. Loup commença à jouer. Mais il jouait si faux que le roi se boucha les oreilles.
« Ce musicien a offensé les oreilles du pharaon ! hurla le Vizir. Qu'on le jette aux crocodiles ! »

Des gardes s'avancèrent vers Loup mais **pffiou !** il avait déjà tourné la page.

BIENVENUE
AU CIRCUS MAXIMUS
CXVII ÈME COURSE DE CHAR
GLADIATOR
LA BOISSON
DES HEROS
GLADIATOR

Quand Loup ouvrit les yeux, il se trouvait à Rome, sur la ligne de départ d'une course de chars. Le stade était plein à craquer, cela criait, cela chantait.

« Enfin je vais m'amuser, se réjouit Loup. J'adore les courses. »
Au signal, les chars s'élancèrent.
Acclamé par la foule, Loup prit la tête du peloton, et dépassa un à un tous ses adversaires.

À l'arrivée, l'empereur Jules César en personne l'attendait : « Honneur à toi, vainqueur. Prépare-toi maintenant à affronter notre meilleur gladiateur, Marcus Gros-Louisus. Si tu remportes le combat, tu seras mon nouveau champion.

– C'est gentil mais
je déteste me battre,
répondit Loup en sortant
son livre. Je suis venu,
j'ai vu et je me suis bien
amusé, merci. »
Et **pffiou !** il disparut
comme par magie,
laissant César tout ébahi.

C'était le plus grand banquet que Loup ait jamais vu. Dressée au pied du château fort, la table croulait sous les viandes farcies, pâtés en croûte et douces pâtisseries...

« Voilà enfin une époque faite pour moi », se réjouit Loup en tendant la patte vers une patate. Mais il fut interrompu par un cri : « Seigneur, quel malheur ! Votre fille vient d'être enlevée par le dragon ! »

Tous les regards se tournèrent vers Loup. « Chevalier, fit solennellement le seigneur, vous seul pouvez la délivrer. »

On amena à Loup ses armes et son destrier. En maugréant, il suivit la foule jusqu'au repaire du monstre.

« Les dragons, cela n'existe pas », expliqua Loup tranquillement en s'avançant vers l'entrée de la grotte.

Il y eut un grand silence et puis **GRRRRRRRR** !
le monstre fondit sur le pauvre loup…
qui partit au galop.

« À moi ! » hurla notre chevalier
en ouvrant son livre.
Et **pffiii-ouf !** plus de Loup.
Et plus de dragon non plus…

Loup se réveilla entouré de peintures et d'œuvres d'art.
Assis derrière sa toile, un vieux loup peignait.
Soudain, quelqu'un ouvrit la porte en criant :
« Maître Louonard ! On apprend que Christophe Colomb
a découvert un nouveau monde ! »

L'artiste leva le museau, rêveur.
« Ce monde s'appellera l'Amérique, mon ami.
Ah ! quelle époque fantastique ! »
Puis il tendit son pinceau à Loup en disant :
« Je vous laisse continuer, cher élève, je suis fatigué.
– Certainement pas, répondit Loup, le génie c'est vous, pas moi. »
Et **pffiou !**

C'était soir de bal à Versailles. Les invités costumés se promenaient dans les jardins du château, la musique coulait à flot.
« Grandiose, n'est-ce pas ? fit un homme vêtu d'or près de Loup.
– Grandiose, Majesté », répondit Loup un peu intimidé en reconnaissant le roi Loup XIV.
Près du Roi se tenait une demoiselle très belle.
« Je me présente, Madame de Poupoupidou-ou ! dit-elle en soulevant son masque. Et vous, qui êtes-vous ? »

Loup regarda la louve. Elle lui rappelait quelqu'un… Et soudain son cœur s'emballa et il sentit ses jambes devenir flagada.

« M'accorderez-vous ce-cette danse ? bafouilla-t-il en rougissant.

– Avec plaisir, répondit la louve.

– Gardes ! Emparez-vous de ce loup ! hurla le Roi jaloux.
– Quel dommage ! soupira Loup. Adieu Madame. »

Et **pffiou !** il disparut dans un nuage.

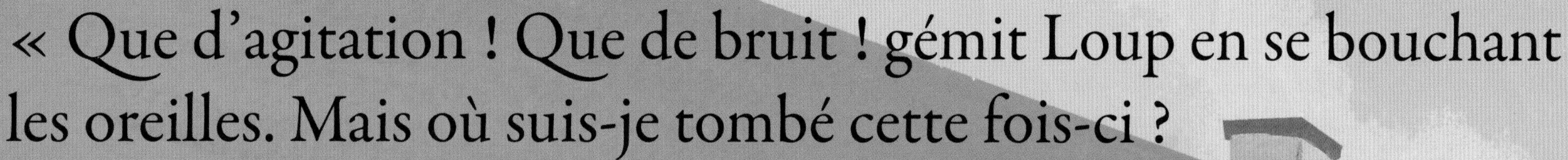

« Que d'agitation ! Que de bruit ! gémit Loup en se bouchant les oreilles. Mais où suis-je tombé cette fois-ci ?
– Vive la Révolution ! lui crièrent des paysans armés jusqu'aux dents. Joins-toi à nous, citoyen Loup, nous allons prendre la Bastille ! »
Loup réfléchit un instant. Qu'il soit là ou pas, cela allait chauffer. Mieux valait s'éclipser. Et **pffiou... !**

Il n'y avait aucun bruit. Juste une échelle
métallique qui plongeait dans la nuit...
Loup descendit les barreaux prudemment.

Quand il toucha le sol, il regarda autour de lui. Le paysage était lunaire. Il fit un petit pas, bondit, rebondit...
« J'ai marché sur la Lune ! » comprit Loup ravi.
Dans sa joie, il lâcha son livre, et son livre s'envola !

« Oh non, pas ça ! » hurla Loup.
Il plongea, attrapa le livre qui s'ouvrit... et fut englouti !

Loup fut pris dans un tourbillon d'objets, de visages, de mots, d'époques !
« STOP ! cria-t-il. Cela suffit ! Je veux rentrer dans ma forêt !
– Moi aussi ! » gronda une voix tout près.
C'était le dragon qui, comme lui, en avait assez.
« Il suffisait de le demander, cher lecteur », fit une voix amusée.

Et **pffiou !** Loup se retrouva assis près de sa cheminée.
Mais il eut beau chercher, il ne trouva nulle part de livre doré.
« On dirait que j'ai rêvé, soupira Loup. Dommage, mes copains auraient vraiment été épatés... »

Direction générale : Gauthier Auzou
Responsable éditoriale : Laura Levy
Maquette : Annaïs Tassone
Fabrication : Amélie Moncarré
Relecture : Lise Cornacchia

Loi n° 49-956 du 16 juillet 1949 sur les publications destinées à la jeunesse.
Dépôt légal : août 2013
ISBN : 978-2-7338-2591-4
Imprimé en Chine.

www.auzou.fr

Retrouvez la collection des « p'tits albums » en format souple

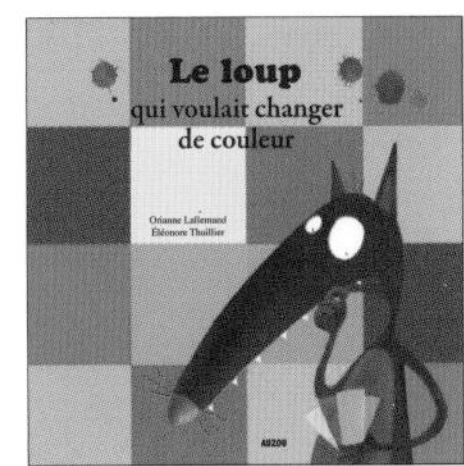

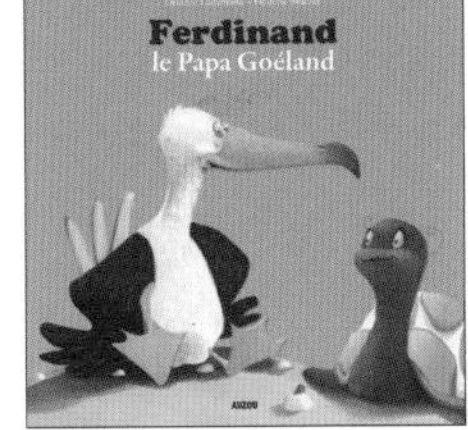

- 3 000
Apparition de l'écriture

Égypte

DINOSAURES

PRÉHISTOIRE

ANTIQUITÉ

1ers êtres humains
australopithèques

- 200 000
Homo Sapiens

- 40 000
1ers Cro-Magnon

- 52
Conquête
de la Gaule